Le parole,
bastano le parole
per fare una grande
canzone.

Luigi Tenco

Biografie Ritratti d'autore

BeccoGiallo
Direzione editoriale: Guido Ostanel, Federico Zaghis
www.beccogiallo.it - info@beccogiallo.it
facebook.com/beccogiallo.editore
twitter.com/becco_giallo

ISBN 978-88-97555-06-3

© 2012 BeccoGiallo S.r.l.
prima edizione marzo 2008
seconda edizione gennaio 2012

Cover project: marco pennisi & c.
Cover art: luca genovese

Finito di stampare nel dicembre 2011 da
Cierre Grafica, Sommacampagna (VR)

Salviamo le foreste!
Questo libro è stato stampato su carta FSC®
Arcoprint Edizioni Fedrigoni. Il marchio
FSC® (Forest Stewardship Council) identifica
i prodotti che contengono legno proveniente
da foreste gestite in maniera corretta e
responsabile, secondo rigorosi standard
ambientali, sociali ed economici.

FSC
www.fsc.org
MISTO
Carta
da fonti gestite in
maniera responsabile
FSC® C041414

Luca Vanzella
Luca Genovese

LUIGI TENCO
UNA VOCE FUORI CAMPO

BeccoGiallo

INDICE

UN ASSURDO DESTINO

Mario Luzzatto Fegiz

È molto difficile accettare l'idea che Luigi Tenco si sia suicidato. E questo a dispetto di tutti gli indizi, ultima dei quali la perizia eseguita in tempi recenti sui resti mortali del cantante. Quel che non torna è quel biglietto: la calligrafia è sua, il testo, per la sua banalità, non gli appartiene. Come in ogni giallo destinato a rimanere impresso nella coscienza collettiva ci sono poi tanti comprimari dal comportamento scorretto, ambiguo e inspiegabile. Che dire del commissario Arrigo Molinari, che condusse le peggiori indagini possibili (si veda il balletto della rimozione del corpo) e per questo fu "premiato" con la promozione a capo della squadra mobile di Genova, arrivando a gestire inchieste delicatissime, come il rapimento di Milena Sutter o il sequestro del giudice Sossi, per poi finire i suoi giorni (col grado di questore) ucciso in una misteriosa rapina nella Riviera di Ponente. In questo libro troverete la storia di un percorso complesso, di un malessere profondo. Mi sono avventurato nel mistero della morte di Tenco alla fine degli anni Settanta, nel decennale della sua morte. E le indagini furono tutte in salita. Il primo ostacolo fu il fratello Valentino. Io avevo sposato in pieno la tesi del suicidio, lui era di parere opposto. Probabilmente anche Luigi non gradiva queste indagini, e da lassù mi mandò più di un segnale, il primo dei quali fu un infortunio odontoiatrico durante la stesura del libro *Morte di un cantautore*. Il secondo fu l'insolvenza e il successivo fallimento della casa editrice. Oggi sono ancora pieno di dubbi. E non riesco a superare lo sgomento per il tentato suicidio di Dalida a un mese esatto dalla morte di Luigi, seguito da un secondo tentativo nel 1977 (quello riuscito è del 1987). Se nella morte di Tenco ci sono segreti, questi sono sepolti nel cimitero di Montmartre assieme alle spoglie di Iolanda Gigliotti, il cui amore per Tenco non bastò a fermare la mano di un assurdo destino.

Giornalista, critico musicale, conduttore radiofonico, Mario Luzzatto Fegiz è autore - tra gli altri scritti - di Morte di un cantautore, *primo libro dedicato al caso Tenco.*

LUIGI! MA SEI QUI!

SÌ, SONO QUI.

COSA STAI CONTROLLANDO?

NIENTE... È SOLO...

PERCHÉ HANNO SCELTO QUESTA SCENOGRAFIA? LO SPAZIO... CHE SENSO HA? LO SPAZIO DI SICURO NON È COSÌ.

MA È BELLA, NO? CREDO CHE IMPORTI SOLO QUESTO.

NON SAREBBE MEGLIO FARE QUALCOSA DI PIÙ... "VERO"?

NON ERI TU IL SOGNATORE? DOVRESTI ESSERE CONTENTO NEL VEDERE UN FUTURO COSÌ MERAVIGLIOSO, FATTO DI NUOVI MONDI, ASTRONAVI, UTOPIE...

SARÀ. IO PERÒ QUI NON MI SENTO A MIO AGIO...

BRUNO!

IOLANDA, TI HANNO MANDATO QUESTI FIORI.

CHE BELLI! DA PARTE DI CHI?

MELIS.

CHE SIGNORE, LUI SÌ CHE TRATTA BENE I SUOI ARTISTI...

AH, HA CHIAMATO LUCIEN, E POI RICORDATI CHE DEVI CHIAMARE LA MAMMA.

CERTO, POTREI FARLO ADESSO...

IO VADO... CI VEDIAMO DOPO. PENSACI SE VUOI VENIRE A PARIGI...

IO... VENGO. VERRÒ A PARIGI CON TE.

SPLENDIDO!

VOGLIO CONOSCERE LA CITTÀ... E ANCHE TE. VORREI PROPRIO VENIRE, INSOMMA.

DOPO LA TRASMISSIONE CI METTIAMO D'ACCORDO. VA BENE?

IO PROTESTO.

PROTESTO CONTRO DI TE, SOPRATTUTTO, CHE FAI LA FINTA PROTESTA. SE SI FA L'ANTIMILITARISMO SI FA COI FATTI, NON A PAROLE, CON LE CANZONETTE, PEGGIO CHE MAI CON LE CANZONETTE, CHE POI FRUTTANO SOLDI... PORCA MISERIA!

ASPETTA UN MOMENTO: TI DICO SUBITO CHE SOLDI SPERO DI FARNE, PERCHÉ UNO COI SOLDI STA PIÙ TRANQUILLO, PIÙ LIBERO... QUANTO ALL'ALTRA QUESTIONE...

...TI DICO CHE IO FACCIO ANZITUTTO IL CANTANTE. IO CANTO NON PERCHÉ MI INTERESSA PROTESTARE. IO CANTO, RIPETO, PERCHÉ MI PIACE LA MUSICA.

E CON CIÒ? SCUSAMI, MA...

ANCHE LA CANZONE DI PROTESTA È UNA MERCE DI CONSUMO, UNA FORMA DI SFRUTTAMENTO UGUALE ALLE ALTRE. TU CI CAMPI SOPRA, DUNQUE ANCHE TU SFRUTTI...

MA NON È ASSOLUTAMENTE VERO... IO NON SFRUTTO NESSUNO...

IO FACCIO CANZONI, E ANZICHÉ FARLE E CERCARE DI GUADAGNARE SOLDI SCRIVENDO DI FIORELLINI ECCETERA, LO FACCIO PARLANDO DI DETERMINATE COSE, ALLE QUALI IO CREDO.

14

15

SENTITE. IO QUANDO HO COMINCIATO A CANTARE, ERO UNA PERSONA COMPLETAMENTE DISINSERITA, E STAI TRANQUILLO CHE NON ERO, E NON SONO, QUELLO CHE SI LASCIA IRREGIMENTARE.

IL MIO IDEALE NON È QUELLO DI CONTINUARE A VEDERE UN MONDO DI GENTE CON I CAPELLI LUNGHI, CON I MAGLIONI E COSÌ VIA. LA MIA SPERANZA È QUELLA DI ARRIVARE AL GIORNO IN CUI PERSONE SERIE, CON LA CRAVATTA O CON IL CASCO SPAZIALE O CON IL CILINDRO, COME PREFERISCI, POSSANO ESPRIMERE LIBERAMENTE LE COSE CHE OGGI, PER DIRLE, DEVI...

...DEVI FARE UN CERTO LAVORO DI VASELINA.

NO, DEVI FARE UN CERTO LAVORO DI ROTTURA DI PALLE. IO INFATTI SONO CONSIDERATO UN ROMPIPALLE PERCHÉ DICO CERTE COSE, ANCHE NEL MEZZO DI UNA TRASMISSIONE DI CANZONETTE.

TENCO, SCUSA: TI RENDI CONTO CHE TI FAI INCASTRARE? ALLE LUNGHE, MAGARI SENZA ACCORGERTENE, IL MECCANISMO TI CONDIZIONERÀ. E FINIRAI ANCHE TU COME GLI ALTRI. VEDI MODUGNO, CHE COMINCIÒ CON LE CANZONI SUI MINATORI E I PESCATORI SICILIANI...

PENSATELA COME VOLETE. IO HO PRESO UNA STRADA CHE MI SEMBRA BUONA E NON LA MOLLO. ANZI, VORREI AVERE UN PUBBLICO SEMPRE PIÙ GRANDE, IMMENSO, QUELLO CHE CON I MEZZI DI OGGI È POSSIBILE RAGGIUNGERE. E IL GIORNO IN CUI CI RIUSCISSI, STATE CERTI CHE NON LO INVITERÒ A VOLARE NEL BLU DIPINTO DI BLU.

PRIMAVERA 1958.

LUIGI!

EHI!

SCUSA IL RITARDO...

È CHE ABBIAMO TROVATO GIANPAOLO ALL'IGEA.

DAI, SON CINQUE MINUTI.

TRANQUILLI, IO SONO QUI CHE ASPETTO MARCELLO. È ANDATO A PRENDERE LE SIGARETTE.

MA C'È UN TABACCHINO APERTO?

IL BAR DI VIA CECCHI LE VENDE.

SÌ, LÀ!

MA ALLORA L'HAI PRESO, ALLA FINE!

23

24

SAN REMO, 26 GENNAIO 1967.

AVRESTI DOVUTO SVEGLIARMI...

CIAO CARO.

ERA PRESTO... DORMIRE UN PO' NON TI AVREBBE FATTO MALE...

PECCATO CHE IL CAFFÈ SIA FREDDO.

È CHE MI È VENUTO SPONTANEO ORDINARLO ANCHE PER TE. NON CI HO PENSATO.

CAMERIERE! SCUSI, UN ALTRO ESPRESSO!

GUARDA CHE LO SO ORDINARE DA SOLO...

HAI RAGIONE, È CHE SONO NERVOSA.

26

AHH!

LUIGI!

PRESO QUALCOSA?

MACCHÉ!

VIENI...

CE LA FACCIO DA SOLO.

AH AH AH· HAI PRESO UNA STELLA MARINA... LO STELLONE DI LUIGI!

CHE DICI?

LO DICE SEMPRE BRUNO CHE C'HAI LO STELLONE DIETRO LE SPALLE CHE TI PROTEGGE... CHE SEI FORTUNATO.

VABBÈ, DICE COSÌ SOLO PERCHÉ SONO PIÙ ALTO...

TI FAI UN ALTRO TUFFO? IO QUASI QUASI ME NE ANDREI DAGLI ALTRI...

DOVE SONO?

SON TUTTI AL CAMPO DA BASEBALL A VEDERE BOTTARO E RUGGERO CHE GIOCANO.

ANDIAMOCI, ALLORA... BASTA PESCA PER OGGI.

E NON CAPIRCI NIENTE...
AVER VOGLIA DI TORNARE DA TE...
CIAO AMORE...

...CIAO AMORE,
CIAO AMORE CIAO,
CIAO AMORE, CIAO...

EHI!

GIORGIO!

...NON SAPER
FARE NIENTE,
IN UN MONDO CHE
SA TUTTO...

...E NON AVERE UN SOLDO
NEMMENO PER TORNARE...

TOCCA A TE,
ADESSO?

TRA UN PO'.
TU?

HO GIÀ
FATTO LE PROVE
PRIMA.

CIAO AMORE,
CIAO AMORE...

È BRAVA,
VERO?

MOLTO.

CIAO AMORE,
CIAO AMORE, CIAO AMORE
CIAO...

IO VADO, CI
VEDREMO
STASERA
DIETRO
LE QUINTE!

CLAP
CLAP
CLAP

A DOPO!

SI TRATTA DI UNA CANZONE CHE... CON LA QUALE VORREI CERCARE DI TRACCIARE UNA NUOVA LINEA PER LA CANZONE ITALIANA. CIOÈ, PUR SFRUTTANDO I SUONI E LE TECNICHE CHE SI SONO SPERIMENTATE IN TUTTO IL MONDO, VORREI INSERIRE IN QUESTE CANZONI QUALCOSA DI TIPICO, DI FOLCLORISTICO, DI ITALIANO.

UNA DEBUTTANTE. DOPO TANTI GLORIOSISSIMI ANNI DI CARRIERA, DALIDA DEBUTTA A SANREMO. DI CHE CANZONE SI TRATTA, TENCO?

ED È UNA CANZONE CHE TU RITIENI ADATTA AI GIOVANI?

BÈ, IO PENSO CHE I GIOVANI, COME TUTTI GLI ALTRI, SIANO ADATTI ALLE BELLE CANZONI, SE QUESTA CANZONE VERRÀ GIUDICATA UNA BELLA CANZONE... IO L'HO GIÀ GIUDICATA TALE, SE NO NON L'AVREI PORTATA QUI.

LUIGI TENCO È CONSIDERATO DALLA CRITICA, DALL'AMBIENTE UFFICIALE DELLA MUSICA LEGGERA, UN CANTAUTORE UN PO' DIVERSO, UN PO' DIFFICILE MAGARI DA AFFRONTARE, DA POTER GIUDICARE.

PERCHÉ SONO UN CANTAUTORE DIFFICILE?

PERCHÉ SEI SEMPRE STATO
ALLA RICERCA DI QUALCOSA
DI ORIGINALE, SPESSO ANTICOMMERCIALE
E VOLUTAMENTE ANTITRADIZIONALE.
E PROBABILMENTE QUESTA CANZONE
DETERMINERÀ UN CERTO INTERESSE
PROPRIO PER LA SUA
ANTICONVENZIONALITÀ:
POSSIAMO DIRLO QUESTO, NO?

NON LO SO QUESTO, PERCHÉ APPUNTO,
TI DICEVO DI QUESTA LINEA CHE IO STO
CERCANDO, CHE CERCA PROPRIO
DI RIAVVICINARE UN DETERMINATO TIPO
DI TESTO E UN DETERMINATO TIPO
DI MENTALITÀ A DELLE LINEE PIÙ
SEMPLICI, PIÙ ACCESSIBILI, SOPRATTUTTO
PIÙ... PIÙ VICINE AL PUBBLICO.

SÌ, MI MANCHI.

LUIGI!

TI CHIAMO DOMANI.

SCUSA SE TI HO INTERROTTO, MA AVEVAMO RIPRESO A GIOCARE E...

SCUSATEMI VOI, GRAZIE PER AVERMI FATTO FARE UN'URBANA.

38

LUIGI MA CHE FAI? CHE HAI?

ERA SOLO UNA PROVA.

MI SPIACE DIRLO, MA NON È STATA DELLE PIÙ PROMETTENTI...

LO SO, LO SO.

È SOLO CHE... ASPETTA...

SCUSI, SIGNOR TENCO, POTREI AVERE UNA SUA DICHIARAZIONE?

MI DICA...

OGGI È IL GIORNO DELLA SUA ESIBIZIONE. SI SENTE IN FORMA? CREDE CHE RIUSCIRÀ AD ANDARE IN FINALE?

SE LA CANZONE ENTRERÀ IN FINALE NON SARÀ CERTO PER MERITO MIO...

...CONTO MOLTO SULLA COLLABORAZIONE DELLA MIA PARTNER DALIDA... CHE TRA L'ALTRO È APPENA ARRIVATA...

42

44

SUICIDARSI... NON SO, È UNA COSA CHE PROPRIO NON RIESCO A CAPIRE, IO SONO CONTRO...

ECCOLO!

RIPARLIAMONE UN'ALTRA VOLTA, VA LÀ, CHE NON ABBIAMO ANCORA SVISCERATO ABBASTANZA L'ARGOMENTO.

NO, NON VOGLIO FARE POLEMICA, VOGLIO CHIARIRMI LE IDEE SU QUESTO PUNTO.

LUIGI, GUARDA CHE ALLA FINE È MOLTO SEMPLICE...

TU, IL TUO PERSONAGGIO INTENDO, È ORMAI A UN VICOLO CIECO, È DISPERATO, NEL SENSO PIÙ LETTERALE DEL TERMINE: È SENZA SPERANZA, SI SENTE SENZA FUTURO, COME SE OGNI COSA NON POTESSE CHE ANDARGLI MALE.

SE ANCHE TU CAPISSI DI NON AVERE SCELTE, SE ANCHE TU TI SENTISSI COSÌ, NON CI PENSERESTI AL SUICIDIO?

47

SCUSATE... DALIDA, TI SONO ARRIVATI UN PAIO DI TELEGRAMMI DALLA FRANCIA, SAREBBE IL CASO DI RISPONDERE O CHIAMARE AL TELEFONO.

CAPISCO, CAPISCO.

IMMAGINO SIANO GLI IN BOCCA AL LUPO DALLA CASA DISCOGRAFICA.

C'È ANCHE IL TUO EX-MARITO CHE CHIEDEVA DI TE.

LUCIEN? INVITALO A CENA CON NOI... ORA HO UN MAL DI TESTA TERRIBILE.

MEGLIO SE VADO IN ALBERGO... TU CHE FAI, LUIGI?

MI SA CHE RESTO IN GIRO.

FARESTI BENE A RIPOSARTI ANCHE TU...

FINISCO LA SIGARETTA, POI MAGARI MI STENDO UN ATTIMO IN CAMERA.

BENE, A DOPO ALLORA!

A DOPO.

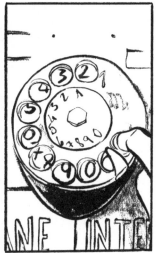

MI SCUSI...

VORREI UN CAFFÈ E
UN DIGESTIVO, NO ANZI,
UN WHISKEY.

50

NON DOVRESTI BERE A QUEST'ORA!

EHI!

MI STAI SEMPRE APPRESSO, SEI LA MIA BALIA?

NO, SONO TUO AMICO!

TU DICI DI ESSERMI AMICO, MA TI METTERESTI TRA ME E UNA PALLOTTOLA?

LUIGI!

EHI CIAO!

CIAO SANDRO!

PRONTO PER LA GRAN SERATA?

PIÙ O MENO...

SARÀ UN BELL'AZZARDO, MA VEDRAI CHE COL TUO PEZZO SARAI IN FINALE.

MI HAI FATTO VENIRE IN MENTE UNA COSA...

TI DEVO ANCORA I SOLDI DI QUEL POKER CHE AVEVAMO FATTO DA MIRANDA...

PERCHÉ ORA? NON C'È FRETTA.

SE NO MI DIMENTICO ANCORA. TANTO ORA VADO AL CASINÒ E MI RIFACCIO, NON TI PREOCCUPARE. MI SENTO FORTUNATO QUESTA SERA...

SETTE VINCE...

LUIGI!

EHI CIAO, SONO ROBERTO, TI RICORDI? A MILANO?

SÌ, CERTO...

BÈ, VEDO CHE TI STA ANDANDO BENE! SI VEDE CHE È UNA GIORNATA FORTUNATA.

COSÌ SEMBRA...

ANCHE LA CARRIERA TI STA ANDANDO BENE...

BÈ, SÌ, NON C'È MALE...

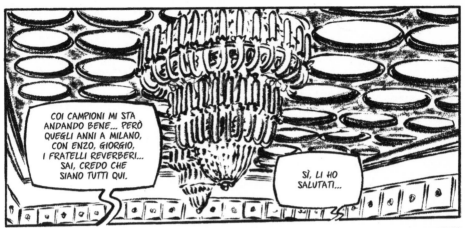

COI CAMPIONI MI STA ANDANDO BENE... PERÒ QUEGLI ANNI A MILANO, CON ENZO, GIORGIO, I FRATELLI REVERBERI... SAI, CREDO CHE SIANO TUTTI QUI.

SÌ, LI HO SALUTATI...

CASPITA, TI RICORDI QUANDO C'ERA CHET BAKER AL SANTA TECLA E TU VOLEVI PARLARGLI, MA TI EVITAVA?

E NON SAI QUANTO VI HO INVIDIATI QUANDO SIETE ANDATI A FARE QUEL TOUR IN GERMANIA... CHE TEMPI!

SENTI...

FAITES VOS JEUX.

NON HO VOGLIA DI RICORDARE... ORA VOGLIO SOLO PENSARE AL FUTURO...

LES JEUX SONT FAIT, RIEN NE VA PLUS.

DEVO PARLARE CON RICORDI E CREPAX... FORSE FACCIO UN ALTRO QUARANTACINQUE.

COME GIGI MAI, GORDON CLIFF O DICK VENTUNO?

ORMAI C'È SOLO LUIGI TENCO.

E L'ONORE DELLA FAMIGLIA? SARÀ MICA CHE UN TENCO FA LE CANZONETTE... CHE DIRÀ MAMMA TERESA?

MA CHE C'HAI, STASERA, GIAMPIERO?

LE BOTTIGLIE NON LE HA FINITE PIERO DA SOLO...

VABBÈ, TANTO ORMAI L'ONORE È ANDATO, E POI LA DIVA, QUI, MI VUOL PORTARE A ROMA, IN TV, MI TOCCHERÀ DIVENTARE FAMOSO PER FORZA...

AH AH!

RAGAZZI, ECCO QUA!

GIUSTO IN TEMPO! PER FINIRE L'ALTRA BOTTIGLIA CON UN BRINDISI.

A CHE BRINDIAMO?

A NOI!

AL FUTURO!

AL FUTURO DELLA MUSICA ITALIANA!

A TENCO NON FAR SAPERE QUANT'È BUONA LA PASTICCA CON LA GRAPPA ALLE PERE.

59

MAMMA! MAMMA!

CHE C'È LUIGINO? DIMMI...

UN SIGNORE MI HA DETTO CHE SONO UN BASTARDO, CHE VUOL DIRE?

NON SI PREOCCUPI.

STO BUTTANDO VIA QUESTI FIORI, LE BUTTO VIA IO LA BOTTIGLIA.

SCUSAMI...

ALITALIA ANUNCIA EL ARRIVO DEL VUELO AZ1017 PROVENIENTE DE: ROMA, RIO DE JANEIRO Y MONTEVIDEO. SE RUEGA ESPERAR A LOS SEÑORES PASAJEROS DETRAS DE LA LINEA BLANCA. GRACIAS.

SEI TU, FABRIZIO?

SÌ.

FABRIZIO DE ANDRÉ?

SÌ, SONO IO.

ABBIAMO SUONATO UN PAIO DI VOLTE CON OLIVA E GLI ALTRI, GIUSTO?

SÌ, TU SEI LUIGI, GIUSTO?

SÌ...

È VERO CHE VAI IN GIRO DICENDO CHE SEI TU L'AUTORE DI "QUANDO"?

SÌ... SAI COM'È... HO CONOSCIUTO QUESTA RAGAZZA... LA TUA CANZONE LE PIACEVA MOLTO E PER RIMORCHIARLA LE HO DETTO CHE L'AVEVO SCRITTA IO...

AH AH AH!

TI SECCA CHE...

NON SE TI È ANDATA BENE! CHE PRENDI?

ANCHE TU SCRIVI?

SÌ... SCRIVEVO QUESTO TESTO, È PER UNA BALLATA.

QUANDO L'AVRAI FINITA ME LA FARAI SENTIRE. SEMBRI UN TIPO SVEGLIO, NON UNO CHE VUOLE FARE LE SOLITE COSE.

E TU? COME VANNO LE COSE A MILANO?

BENE, C'È MOLTA GENTE INTERESSANTE.

PERÒ NON SO SE VORREI FARE QUESTO MESTIERE, CANTARE PER VIVERE... CI SONO TROPPI COMPROMESSI... FORSE È MEGLIO SE FACCIO COME DICONO I MIEI, FINISCO GLI STUDI E LASCIO LA MUSICA COME HOBBY... PERÒ... BÈ, VEDREMO CHE SUCCEDERÀ.

73

74

LA SOLITA STRADA, BIANCA COME IL SALE
IL GRANO DA CRESCERE, I CAMPI DA ARARE.
GUARDARE OGNI GIORNO SE PIOVE O C'E' IL SOLE,
PER SAPER SE DOMANI
SI VIVE O SI MUORE
E UN BEL GIORNO DIRE
BASTA E ANDARE VIA.

CIAO AMORE,
CIAO AMORE, CIAO AMORE CIAO.
CIAO AMORE,
CIAO AMORE, CIAO AMORE CIAO.

ANDARE VIA LONTANO
A CERCARE UN ALTRO MONDO
DIRE ADDIO AL CORTILE,
ANDARSENE SOGNANDO.

E POI MILLE STRADE GRIGIE COME IL FUMO
IN UN MONDO DI LUCI SENTIRSI NESSUNO.
SALTARE CENT'ANNI IN UN GIORNO SOLO,
DAI CARRI DEI CAMPI
AGLI AEREI NEL CIELO.
E NON CAPIRCI NIENTE E
AVER VOGLIA DI TORNARE DA TE.

CIAO AMORE,
CIAO AMORE, CIAO AMORE CIAO.
CIAO AMORE,
CIAO AMORE, CIAO AMORE CIAO.

NON SAPER FARE NIENTE
IN UN MONDO CHE SA TUTTO
E NON AVERE UN SOLDO
NEMMENO PER TORNARE.

CIAO AMORE,
CIAO AMORE, CIAO AMORE CIAO.
CIAO AMORE,
CIAO AMORE, CIAO AMORE CIAO.

TU NON CONOSCI LUIGI.

DOV'È IL POSTO?

CI SIAMO PASSATI DAVANTI PRIMA... POCO DOPO LA CURVA.

VA BENE.

91

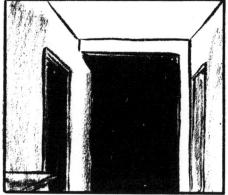

94

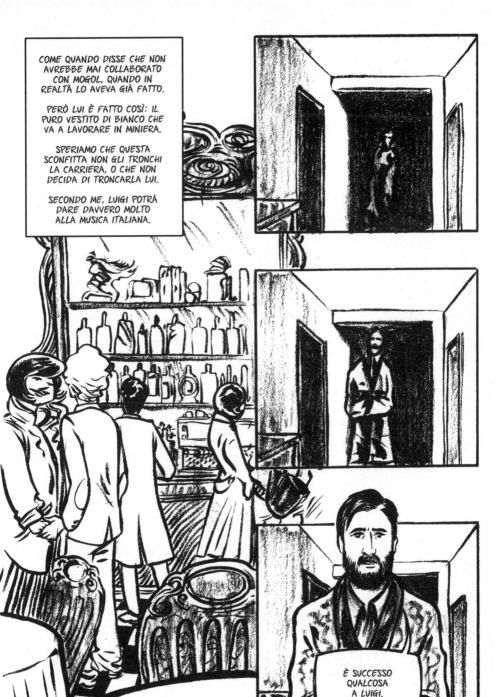

COME QUANDO DISSE CHE NON AVREBBE MAI COLLABORATO CON MOGOL, QUANDO IN REALTÀ LO AVEVA GIÀ FATTO.

PERÒ LUI È FATTO COSÌ: IL PURO VESTITO DI BIANCO CHE VA A LAVORARE IN MINIERA.

SPERIAMO CHE QUESTA SCONFITTA NON GLI TRONCHI LA CARRIERA, O CHE NON DECIDA DI TRONCARLA LUI.

SECONDO ME, LUIGI POTRÀ DARE DAVVERO MOLTO ALLA MUSICA ITALIANA.

È SUCCESSO QUALCOSA A LUIGI.

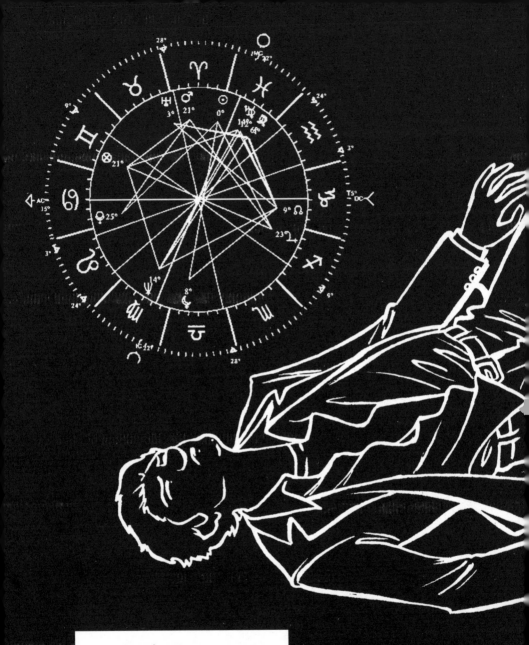

LUIGI TENCO È NATO IL 21 MARZO 1938
A CASSINE, PROVINCIA DI ALESSANDRIA,
ALLE DUE DEL POMERIGGIO.

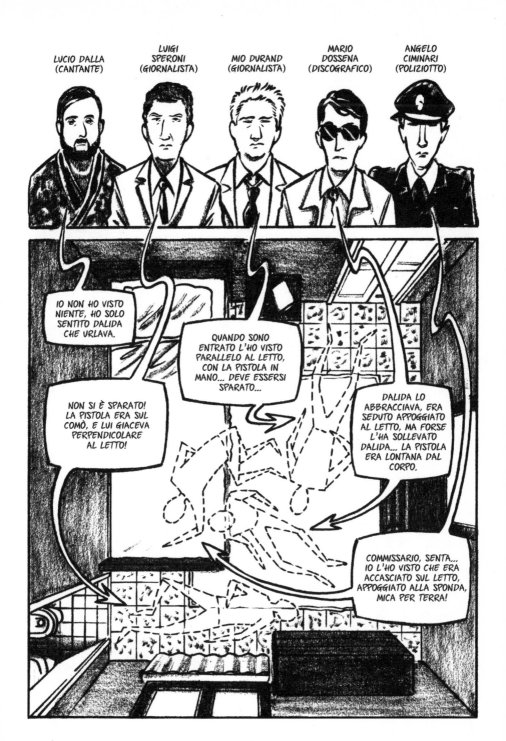

101

LA PISTOLA DI LUIGI TENCO ERA UNA WALTHER PPK 7,65 MM.

NUMERO DI MATRICOLA 517600.

È UNA PISTOLA SEMIAUTOMATICA A MASSA BATTENTE. CONTIENE 6 PROIETTILI NEL CARICATORE, PIÙ UNO IN CANNA.

PUÒ SPARARE SENZA CARICATORE INSERITO. IL CARICATORE FU TROVATO VUOTO.

PERCHÉ LUIGI AVEVA UNA PISTOLA?

NELL'AUTUNNO DEL 1966 DOSSENA TROVÒ UNA PISTOLA NEL CRUSCOTTO DELL'AUTO DI LUIGI.

INTERROGATO IN PROPOSITO, LUIGI RISPOSE:

SONO STATO MINACCIATO!

DISSE CHE ALCUNI UOMINI AVEVANO PROVATO A BUTTARLO FUORI STRADA.

MA È ANCHE VERO CHE TENCO HA GIRATO ARMATO PER ANNI. JANNACCI RICORDA COME GIÀ NEGLI ANNI MILANESI PORTASSE CON SÉ UNA PISTOLA.

PER QUANTO ACCESO PACIFISTA, SUBÌ SEMPRE IL FASCINO DELLE ARMI. HA POSSEDUTO PERSONALMENTE TRE PISTOLE E UN FUCILE.

VI DICO CHE IO DI ARMI ME NE INTENDO! IN MANO AVEVA UNA BERETTA CALIBRO 22, NON UNA WALTHER!

FATE PASSARE IL MEDICO!

QUINDI È QUESTA, L'ARMA DEL DELITTO!

SEMBRA CHE ABBIA SPARATO!

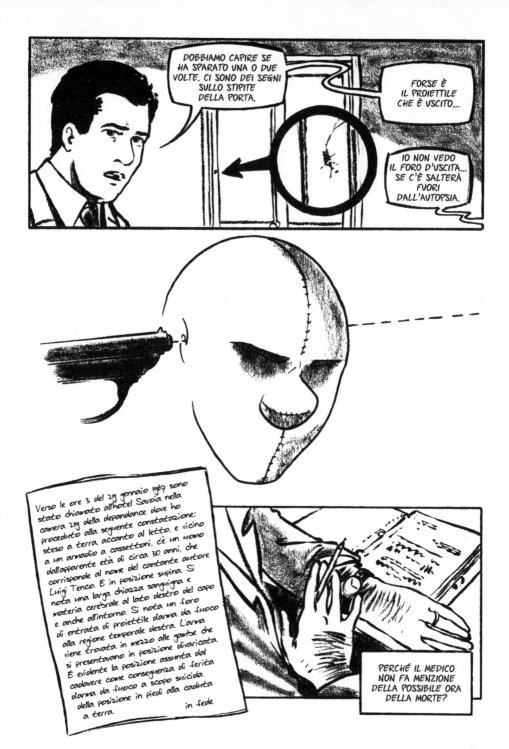

IL MEDICO DELL'OBITORIO, DOPO LA RICOGNIZIONE DEL CORPO, STIMA IL DECESSO ATTORNO ALL'1.30.

DALIDA DICE DI AVER TROVATO IL CORPO ALLE 2.10, PRESUMIBILMENTE POCO DOPO IL FATTO.

IN MOLTI RICORDANO LUCIO DALLA ARRIVARE NELLA HALL ALLE 2.30.

QUALE CHE SIA L'ORA ESATTA DELLA MORTE, LUIGI ENTRÒ IN ALBERGO INTORNO ALL'UNA.

COSA FECE PRIMA DI MORIRE?

IL SIGNOR MELIS NON PUÒ RISPONDERE. LASCI IL NOME E LA FARÒ RICHIAMARE DOMANI.

STO ASPETTANDO UNA TELEFONATA IMPORTANTE, NON POSSO LASCIARE LA LINEA OCCUPATA. TANTO SARÀ SICURAMENTE QUALCUNO DA SANREMO. PUÒ ASPETTARE.

DRIIIN DRIII DRII

DOPO AVER TELEFONATO AL CAPO DELL'RCA ENNIO MELIS, SEMBRA CHE LUIGI ABBIA FATTO UN'ALTRA CHIAMATA.

PRONTO? OH... LUIGI!

DRIIIN DRIIIN

<< VALERIA... VALERIA... HAI VISTO? >>

COME STAI?
< NON LO SO. È STATA UNA DISFATTA. NON HANNO CAPITO NIENTE, E IO NON HO CERTO FATTO IN MODO CHE CAPISSERO. HO SBAGLIATO TUTTO. DALIDA MI SOFFOCA, LITIGHIAMO IN CONTINUAZIONE, È SOLO UN'IGNORANTE E UNA PREVARICATRICE. "LA RIVOLUZIONE", CAZZO, HANNO FATTO PASSARE QUELLO SCHIFO... QUI TUTTO È UNO SCHIFO... DENUNCERÒ TUTTO, VEDRAI! >

STA TRANQUILLO... PENSAVI DI FARE SOLO L'AUTORE, NO? NON È UNA TRAGEDIA...
< HAI RAGIONE, È CHE HO CAPITO CHE HO DAVVERO BISOGNO DI TE. QUASI QUASI PRENDO LA MACCHINA E SCENDO A ROMA... >

ESAGERATO... PERÒ POSSO VENIRE IO A GENOVA, MAGARI GIÀ DOMANI, IN AEREO...
< SÌ, VIENIMI A TROVARE. TI PRENDERÒ IO ALL'AEREOPORTO. POTREMMO PARTIRE SUBITO PER IL KENYA. >

AH AH AH, VUOI LASCIARMI PRIMA LAUREARE? PER IL KENYA PARTIREMO A MARZO... E ANDREMO A VEDERE I LEONI, DORMIREMO SOTTO LE STELLE...
< SÌ, E POI TORNEREMO E PRENDEREMO IL CASOLARE IN CAMPAGNA... E RIMARREMO LÌ E AVREMO UN FIGLIO ASSIEME... >

E ALLORA SAREMO DAVVERO FELICI...

CHI È VALERIA?

LUIGI E VALERIA STETTERO ASSIEME, TRA ALTI E BASSI, PER 3 ANNI, DAL 63 ALL'INVERNO 66, POCO PRIMA DEL FESTIVAL. MA NESSUNO HA SAPUTO DI QUESTO AMORE FINO AL 91.

IN QUELL'ANNO UNA LETTERA NON FIRMATA GIUNGE AL FRATELLO DI LUIGI, VALENTINO. LA LETTERA È SCRITTA DA UN UOMO MORENTE CHE, INFRANGENDO UNA PROMESSA, GLI DICE DI RECARSI ALLA TOMBA DEL FRATELLO UN DETERMINATO GIORNO DI SETTEMBRE.

OGNI ANNO, DA 25 ANNI, UNA DONNA PORTA DEI FIORI. LEI ERA IL VERO AMORE DI LUIGI TENCO.

LA STORIA DI VALERIA SEMBRA VERA. È RETICENTE, E ALL'INIZIO SEMBRA NON VOLER RIVELARE NESSUN DETTAGLIO SULLA SUA STORIA CON LUIGI. MA ALLA FINE CEDE E REGALA A VALENTINO TRE LETTERE DELLE MOLTE CHE I DUE SI SCRISSERO.

VALENTINO DÀ LE LETTERE A UN AMICO GIORNALISTA PERCHÉ LE PUBBLICHI SUL SECOLO XIX. IN QUELLE LETTERE, UNA DI QUESTE SCRITTA POCHE SETTIMANE PRIMA DEL FESTIVAL, LUIGI APPARE UN RAGAZZO PIENO DI VITA E DI PROGETTI. NON UN DEPRESSO CON TENDENZE SUICIDE.

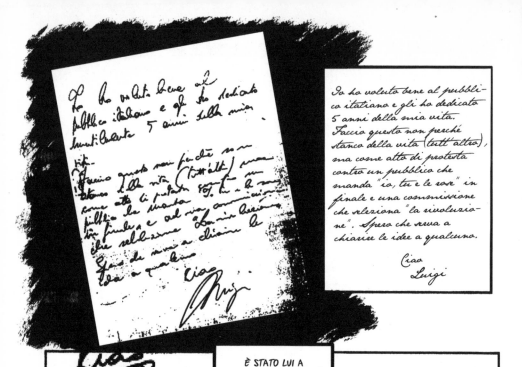

Io ho voluto bene al pubblico italiano e gli ho dedicato
5 anni della mia vita.
Faccio questo non perché
stanco della vita (tutt'altro),
ma come atto di protesta
contro un pubblico che
manda "io, tu e le rose" in
finale e una commissione
che seleziona "la rivoluzione". Spero che serva a
chiarire le idee a qualcuno.

Ciao
Luigi

È STATO LUI A
SCRIVERE LA LETTERA?

LA FIRMA, AD
ESEMPIO, È QUASI
IRRICONOSCIBILE.

LUIGI AVREBBE
DAVVERO POTUTO
SCRIVERE QUELLE
COSE, IN QUEL MODO?

QUEL BIGLIETTO È
DEGNO DI UN IDIOTA!
LUIGI ERA TROPPO
INTELLIGENTE PER
FARLA FINITA COSÌ.

E POI ERO NELLA STANZA
DI FRONTE, E NON HO
SENTITO NIENTE. COM'È
POSSIBILE? È ASSURDO,
ASSURDO COME IL FATTO
CHE SI SIA SPARATO!

NON È PASSATO MOLTO TEMPO DALLA TRAGEDIA DELL'HOTEL SAVOIA, DAL QUALE VI PARLO. NON AVREI MAI IMMAGINATO DI VIVERE UN'ESPERIENZA COSÌ A UN FESTIVAL. NON SI PUÒ ARRIVARE A QUESTO PUNTO.

TENCO, CON IL SUO GESTO, HA DATO UNO SCHIAFFO A TUTTO UN MONDO. NO, NON È PERCHÉ È STATO ESCLUSO, PERCHÉ LA SUA CANZONE NON HA VINTO. È QUALCOSA DI PIÙ PROFONDO, MA NON STA A NOI GIUDICARE. QUESTO GESTO ASSURDO CONDANNA TANTA GENTE, CONDANNA TANTI DI NOI.

BERSANI NON SI METTERÀ MICA A SPIFFERARE, VERO?

LO SBATTIAMO FUORI DALLA RAI, SE PROVA A FIATARE. LO ROVINIAMO.

HO FATTO I SALTI MORTALI PER POTER DIRIGERE IL FESTIVAL, E ORA... QUESTO!

NON SI PREOCCUPI, SIGNOR RAVERA, ANDRÀ TUTTO COME PREVISTO.

E SE I CANTANTI SI RIFIUTANO? E SE SALTA FUORI TUTTO?

NON SALTA FUORI NIENTE. TU STA ZITTO CHE A FAR CONTINUARE LO SPETTACOLO CI PENSO IO.

CHE COSA NON SI DOVEVA SAPERE?

SARÀ RIPESCATA "LA RIVOLUZIONE"! PUNTO E BASTA!

NO!

QUELLA CANZONE È UNA MERDA!

LA COMMISSIONE INCARICATA DI SCEGLIERE I PEZZI DA RIPESCARE PER LA FINALE SI TROVA IN DISACCORDO.

UGO ZATTERIN, DIRETTORE DEL RADIOCORRIERE TV, INSISTE PER RECUPERARE "LA RIVOLUZIONE" DI GIANNI PETTENATI (ALLORA IN TOP TEN CON "BANDIERA GIALLA"), CANTATA IN COPPIA CON GENE PITNEY (VEDETTE AMERICANA IN VOGA ALL'EPOCA).

È UN PEZZO CHE PIACERÀ AI GIOVANI! "CIAO AMORE CIAO" È UNA NOIA MORTALE!

GUARDA CASO IL GIORNALE CHE DIRIGI HA GLI STESSI PADRONI DELLA FONIT CETRA PER CUI ESCE PETTENATI.

IL SINGOLO DI PETTENATI ERA GIÀ STATO PRENOTATO IN 250.000 COPIE. LO YACHT DOVE ALLOGGIAVA PITNEY COSTAVA 500.000 LIRE A NOTTE. PITNEY SI SAREBBE DOVUTO SPOSARE IL GIORNO DOPO, CON UN GROSSO RISALTO SUI ROTOCALCHI POPOLARI.

NON VOGLIO FAR PARTE DI QUESTO SCHIFO! ME NE VADO!

NONOSTANTE L'OPPOSIZIONE DI BERSANI, LA COMBINE RIUSCÌ E PETTENATI ANDÒ IN FINALE.

LUIGI SAPEVA QUALCOSA DI TUTTO QUESTO? LO AVREBBE RIVELATO A TUTTI?

IMPOSSIBILE CHE LA RAI ABBIA
DEI SICARI A DISPOSIZIONE PER
FAR TACERE PERSONE SCONVENIENTI.
FORSE QUALCUNO MOLTO SOLERTE
AVEVA CAPITO CHE TENCO SAPEVA,
E CHE AVREBBE SMASCHERATO LA
COMBINE. FORSE QUALCUNO VOLEVA
SOLO PARLARGLI E IL TUTTO È
PRECIPITATO IN UNA LITE.

L'ULTIMA PARTE DEL BIGLIETTO,
QUELLA CON LA CALLIGRAFIA PIÙ
INCERTA E LA FIRMA QUASI
IRRICONOSCIBILE, POTREBBE
ESSERE STATA AGGIUNTA IN UN
SECONDO MOMENTO A UNA
LETTERA DI DENUNCIA. MA CHI
AVREBBE POTUTO INFORMARE
LUIGI? E QUANDO? NESSUNA
TELEFONATA RAGGIUNSE LA
STANZA 219, QUELLA SERA.

MA SI PUÒ DAVVERO
UCCIDERE PER
UN FESTIVAL?

FORSE NO. MA SI
PUÒ FARLO PER
ALTRI MOTIVI.

SI PUÒ UCCIDERE
PER PASSIONE.

NESSUNO HA MAI CAPITO COSA CI FACESSE A SANREMO, QUELLA SERA, L'EX MARITO DI DALIDA, LUCIEN MORISSE. LUCIEN E DALIDA SI CONOBBERO NEL 1957 A RADIO EUROPE 1, DI CUI LUI ERA DIRETTORE. SI SPOSARONO NEL 1961. SI SEPARARONO POCHI MESI DOPO.

SEMBRA CHE LUCIEN FOSSE GELOSISSIMO E ANCORA INNAMORATO DI DALIDA. AVEVA SOPPORTATO I NUOVI AMORI DI LEI, MA FORSE QUEL TENEBROSO ITALIANO L'AVREB-BE ALLONTANATA PER SEMPRE.

ERA DAVVERO COSÌ GELOSO DA VENIRE A SANREMO PER UNA RESA DEI CONTI A SANGUE FREDDO?

TUTTI DESCRIVONO LUCIEN COME UNA PERSONE EDUCATA E SENSIBILE, PASSATA A SANREMO PER SALUTARE, VISTO CHE SI TROVAVA A CANNES PER LAVORO.

SI SUICIDÒ L'11 SETTEMBRE 1970 CON UN COLPO DI WALTHER PPK 7.65.

FORSE QUALCUNO SA QUALCOSA IN PIÙ.

DALIDA È STATA LA PRIMA A TROVARE IL CORPO DI TENCO. HA VISTO QUALCOSA?

DALL'ARRIVO IN ALBERGO ALLA SCOPERTA DEL CORPO È PASSATO ALMENO UN QUARTO D'ORA. COSA È SUCCESSO IN QUEI MINUTI?

HA CERCATO DI FERMARLO?

LUIGI! NON FARLO!

FORSE HA CONTRIBUITO ACCIDENTALMENTE ALLA SUA MORTE?

CON CHI ERI AL TELEFONO? CON LEI?

E LASCIAMI IN PACE!

DALIDA ERA INNAMORATA DI LUIGI. IN MOLTI SONO PRONTI A GIURARE CHE L'AMORE FOSSE RICAMBIATO. MA NELLE LETTERE CHE TENCO MANDÒ A VALERIA, LA DESCRIVE COME DONNA VIZIATA, NEVROTICA, IGNORANTE, CHE RIFIUTA L'IDEA DI UNA SCONFITTA, PROFESSIONALE O SENTIMENTALE CHE SIA.

DI CERTO, UN UOMO NON VA A DIRE A UNA DONNA CHE LA RIVALE È INTELLIGENTE E SIMPATICA.

NULLA VIETA DI PENSARE, PERÒ, CHE VALERIA POSSA AVER INGIGANTITO LA SUA STORIA CON LUIGI. DOPOTUTTO NON HA MAI MOSTRATO UNA FOTO DI LORO DUE ASSIEME, E HA PARLATO SOLO DI AMICI COMUNI CHE SONO GIÀ MORTI.

DALIDA RAPPRESENTAVA IL SUCCESSO, IL GRANDE PUBBLICO, ESSERE ASCOLTATO DA TUTTI. CON DEI COMPROMESSI, CERTO, MA CON LA POSSIBILITÀ DI LASCIARE UN SEGNO NELLA MUSICA, NEL MONDO.

VALERIA ERA LA PUREZZA, LA SEMPLICITÀ. TENCO ESPRESSE PIÙ VOLTE IL DESIDERIO DI RITIRARSI A FARE SOLO L'AUTORE. CON LEI, VOLEVA VIVERE UNA BUCOLICA UTOPIA, LONTANO DA TUTTO.

DALIDA DICE CHE LA SERA PRIMA DELLA TRAGEDIA AVEVANO ANNUNCIATO A DOSSENA LE LORO IMMINENTI NOZZE. VALERIA AFFERMA CHE NELLA SUA ULTIMA TELEFONATA LUIGI AVEVA NUOVAMENTE ESPRESSO IL DESIDERIO DI VIVERE CON LEI IN CAMPAGNA. DUE DONNE, DUE MONDI, DUE VITE.

TENCO SI SENTE ARRIVATO A UN VICOLO CIECO, SENZA SPERANZA, SENZA FUTURO. COME SE QUALSIASI COSA FACESSE NON POTESSE CHE ANDAR MALE.

ORAMAI, NESSUNO POTRÀ PIÙ DIRE CON CERTEZZA CHE COSA È SUCCESSO.

CHIUDIAMOLA IN FRETTA, SENZA SCANDALI.

ALLE INDAGINI, FRET-TOLOSE E INACCURATE, SEGUIRÀ UN'INCHIESTA INCONSISTENTE CHIUSA IL 26 GIUGNO DELLO STESSO ANNO: "SUICIDIO".

RESTANO SOLO DOMANDE. PERCHÉ NON È STATA FATTA L'AUTOPSIA? E IL GUANTO DI PARAFFINA? PERCHÉ IL PORTAFOGLIO ERA VUOTO? PERCHÉ AVEVA LA CAMICIA APERTA E INDOSSAVA LA GIACCA? PERCHÉ NON HANNO CERCATO IL PROIETTILE SPARATO? COSA CAUSÒ I GRAFFI SULLA PORTA? PERCHÉ DALIDA È POTUTA RITORNARE IN FRANCIA LA SERA STESSA?

IL VUOTO LASCIATO DA TENCO VIENE RIEMPITO DALLE IPOTESI PIÙ VARIE.

UNA RAPINA. AVEVA VINTO UN SACCO DI SOLDI AL CASINÒ, QUEL POMERIGGIO, E NON LI HANNO MAI RITROVATI.

A ROMA DICEVA CHE AVEVA "LA PAGA DI UN SERGENTE E I VIZI DI UN GENERALE": NON HO IDEA DI COSA VOLESSE DIRE, MA CREDO CHE AVESSE PROBLEMI DI SOLDI.

SONO VOCI, PERÒ PARE CHE DURANTE LA TOURNÉE IN ARGENTINA TENCO SIA ENTRATO IN CONTATTO CON GRUPPI LOCALI DI ESTREMA SINISTRA. FORSE HA FATTO DA CORRIERE, PER DEI CODICI O DOCUMENTI, CHE QUALCUNO HA POI RIVOLUTO INDIETRO.

SIGNORE E SIGNORI, DIAMO INIZIO ALLA SECONDA TORNATA CON UNA NOTA DI MESTIZIA PER IL TRISTE EVENTO CHE HA COLPITO UN VALOROSO RAPPRESENTANTE DELLA CANZONE... ALLORA, RENATA, CHI È IL PRIMO CANTANTE DELLA SERATA?

IL FESTIVAL LO VINCE CLAUDIO VILLA, IN COPPIA CON UNA GIOVANISSIMA IVA ZANICCHI. GENE PITNEY SI SPOSA, CON GRANDE CLAMORE DELLA STAMPA. LUCIO DALLA CANTA COME DA PROGRAMMA "BISOGNA SAPER PERDERE". ORNELLA VANONI VIENE INCORONATA "LADY FESTIVAL" NELLA HALL DEL SAVOY.

IL GIORNO DEL FUNERALE I COLLEGHI DI TENCO SI CONTANO SULLE DITA DI UNA MANO. DE ANDRÉ DISSE: NON UN CANTANTE HA MANDATO UN FIORE.

LE 80 MILA COPIE DEL 45 GIRI DI "CIAO AMORE CIAO" FINISCONO IN MENO DI UNA SETTIMANA. IL SINGOLO VENDERÀ PIÙ DI QUANTO LUIGI TENCO HA VEDUTO IN TUTTA LA SUA CARRIERA.

TENCO RAGGIUNSE DA MORTO IL PUBBLICO A CUI NON ERA RIUSCITO A PARLARE DA VIVO.

DALIDA NON RIUSCÌ A ESSERE PRESENTE AL FUNERALE DI TENCO, MA INCONTRÒ COMUNQUE LA SUA FAMIGLIA. NEI SUOI ULTIMI GIORNI DISSE CHE LUIGI ERA IL COMPAGNO DI CUI SI SENTIVA VEDOVA.

UN MESE ESATTO DOPO LA MORTE DI TENCO, IN UNA STANZA D'ALBERGO, DALIDA TENTÒ IL SUICIDIO CON DEI SEDATIVI. UNA CAMERIERA LA SOCCORSE IN TEMPO, E DOPO 5 GIORNI DI COMA FU DICHIARATA FUORI PERICOLO.

IL SUCCESSO DI DALIDA PROSEGUE TRIONFALE. NEL 1968 LE VIENE CONFERITA LA MEDAGLIA DELLA PRESIDENZA DELLA REPUBBLICA FRANCESE E OTTIENE IL TITOLO DI "COMMENDATORE DELLE ARTI E DELLE LETTERE".

NEL 1977 TENTA NUOVAMENTE IL SUICIDIO, MA FALLISCE.

NEL 1981 FESTEGGIA I 25 ANNI DI CARRIERA. LE VIENE CONSEGNATO UN DISCO DI DIAMANTE PER AVER VENDUTO 80 MILIONI DI DISCHI NEL MONDO.

NEL 1987 TENTA PER LA TERZA VOLTA IL SUICIDIO, RIUSCENDOCI.

NEL DICEMBRE DEL 2005 TUTTE LE PERPLESSITÀ SULLA MORTE DI TENCO HANNO PORTATO ALLA RIAPERTURA DEL CASO. NEL FEBBRAIO DEL 2006 VIENE RIESUMATA LA SALMA.

IL CORPO È IN OTTIME CONDIZIONI, QUASI INTOCCATO DAL TEMPO. VENGONO EFFETTUATE LE PERIZIE CHE NON SI FECERO ALL'EPOCA. AUTOPSIA, PERIZIA BALISTICA, INDAGINE SUI RESIDUI DI SPARO, ANALISI DEL BIGLIETTO.

L'AUTOPSIA RIVELA IL FORO D'USCITA DELLA PALLOTTOLA E STIMA IL CALIBRO DEL PROIETTILE COME COMPATIBILE CON QUELLO DELLA WALTHER PPK 7.65. L'ESAME BALISTICO CONFERMA CHE IL COLPO È ESPLOSO A CONTATTO, CON UN'INCLINAZIONE DI 25/30 GRADI, TIPICA DELLE MORTI AUTO-INFLITTE.

I RESIDUI DI SPARO RITROVATI NON SONO SUFFICIENTI AD APPURARE CON CERTEZZA CHE LA MANO DI LUIGI ABBIA SPARATO. L'ANALISI DEL BIGLIETTO, CONCORDE-MENTE AD ALTRE PERIZIE GIÀ EFFETTUATE, CONFERMA CHE È STATO SCRITTO DA LUIGI TENCO.

IL CASO VERRÀ PRESTO ARCHIVIATO COME SUICIDIO.

LUIGI TENCO
N. 21 - 3 - 1938
M. 27 - 1 - 1967

"LASCIA CHE SIA FIORITO, SIGNORE, IL SUO SENTIERO
QUANDO A TE LA SUA ANIMA, E AL MONDO LA SUA PELLE,
DOVRÀ RICONSEGNARE."

(PREGHIERA IN GENNAIO)
FABRIZIO DE ANDRÉ

CRONISTORIA

Luca Vanzella

21 marzo 1938

Luigi Tenco nasce a Cassine, in provincia di Alessandria.

La madre, Teresa Zoccola, è rimasta vedova pochi mesi prima. Il padre, Giuseppe Tenco, è morto in un incidente nella stalla di famiglia.

Il vero padre di Tenco è un giovane che la madre conobbe durante la guerra.

1938-1948

Tenco trascorre la sua infanzia tra Cassine, Maranza, e soprattutto Ricaldone, paese natale della madre.

1948

La famiglia Tenco si trasferisce in Liguria, prima a Nervi, poi a Genova, dove Tenco fa le sue prime amicizie: Ruggero Coppola, Pupi Gatto, Danilo Degipò, i fratelli Reverberi.

1951-1956

Tenco frequenta il primo anno del Liceo Classico *Andrea Doria* (Bruno Lauzi è suo compagno di banco). Passa poi al Liceo Scientifico *Cassini* e successivamente al *Galilei* (un istituto privato).

Si diploma come privatista nel 1956.

Durante questi anni Tenco dà vita a due effimeri gruppi musicali: la *Jelly Roll Morton Boys Jazz Band* (con Lauzi e Degipò) e *I Diavoli del Rock* (con Roy Grassi e Gino Paoli).

1956-1958

Su spinta del fratello Valentino, Tenco si iscrive al biennio propedeutico di ingegneria a Genova. Sosterrà soltanto due esami.

Suona, di tanto in tanto, nel *Modern Jazz Group* (con Fabrizio De André) e inizia ad avere i primi ingaggi con il *Trio Garibaldi* (con Marcello Minerbi e Ruggero Coppola). Iniza poi a suonare a Genova e Milano, dove conosce, tra gli altri, Giorgio Gaber ed Enzo Jannacci.

1959-1960

Tenco firma un contratto per la Ricordi e incide il suo primo 45 giri (*Mai/Giurami tu*) con il gruppo de *I Cavalieri*.

Seguono alcune incisioni con diversi pseudonimi (Gigi Mai, Dick Ventuno, Gordon Cliff).

Si iscrive poi a Scienze Politiche, sostenendo solo due esami e rimanendovi iscritto fino al 1964.

1961

Viene ripubblicato il 45 giri di *Quando* con il nome di Luigi Tenco. Incide altri 4 singoli.

1962

Tenco recita ne *La Cuccagna*, film di Luciano Salce con Donatella Turri. Esce il suo primo 33 giri.

1963

Tenco litiga con Gino Paoli. Da quel momento i due non si rivolgeranno mai più la parola.

Incide l'ultimo singolo per la Ricordi e passa alla Jolly.

1964

Tenco conosce Valeria.

Nasce una relazione che, tra alti e bassi, dura fino al 1967.

1965

Tenco parte per il servizio militare. A causa dell'ipertiroidismo, gli viene accordata una convalescenza che dura fino alla fine della ferma. Gli viene concesso, inoltre, un permesso speciale per una tournée in Argentina, dove una sua canzone è diventata la sigla di una famosa telenovela. Tenco viene accolto come una star. Incide il suo secondo album e partecipa alla trasmissione *La comare*, cantando alcune ballate appositamente composte e pubblicate postume.

1966

Tenco passa alla RCA e si trasferisce a Roma.

Un giorno dopo l'altro diventa la sigla della fortunata seria televisiva *Il commissario Maigret*.

Tenco conosce il suo vero padre. Inizia a frequentare l'ambiente "beat" della capitale, e scrive *Jeeeeeh!* per Mal dei *The Primitives*. Incontra quindi la cantante italo-francese Dalida, con la quale decide di partecipare al Festival di Sanremo.

27 gennaio 1967

Tenco muore nella stanza numero

219 dell'*Hotel Savoy* di Sanremo in circostanze poco chiare.

12 dicembre 2005

Dopo trentotto anni, la Procura di Sanremo dispone la riesumazione della salma di Tenco per tentare di stabilire con nuove perizie se il cantante si sia suicidato o, come molti hanno ritenuto per anni, sia invece stato assassinato.

15 febbraio 2006

Il caso Tenco viene ufficialmente dichiarato chiuso. Le nuove analisi suffragano la tesi secondo cui il cantante si sarebbe suicidato.

DISCOGRAFIA ESSENZIALE

SINGOLI

1959
Mai/Giurami tu/Mi chiedi solo amore/
Senza parole
Dischi Ricordi
(EP, col gruppo *I Cavalieri*)

1959
Mai/Giurami tu
Dischi Ricordi

1959
Mi chiedi solo amore/Senza parole-Too close to me
Dischi Ricordi

1959
Amore/Non so ancora/Vorrei sapere perché/Ieri
Dischi Ricordi
(EP come Gigi Mai, col gruppo *I Cavalieri*)

1959
Amore/Non so ancora
Dischi Ricordi
(come Gigi Mai, col gruppo *I Cavalieri*)

1959
Vorrei sapere perché/Ieri
(come Gigi Mai, col gruppo *I Cavalieri*)

1960
Tell me that you love me/Love is here to stay
Round Table
(come Gordon Cliff)

1960
Quando/Sempre la stessa storia
Dischi Ricordi
(come Dick Ventuno)

1961
Il mio regno/I miei giorni perduti
Dischi Ricordi

1961
Quando/Triste sera
Dischi Ricordi

1961
Una vita inutile/Ti ricorderai
Dischi Ricordi

1961
Ti ricorderai/Quando
Dischi Ricordi

1961
Ti ricorderai/Se qualcuno ti dirà
Dischi Ricordi

1961
Quando/Se qualcuno ti dirà/Ti ricorderai/
I miei giorni perduti
Dischi Ricordi

1961
Senza parole/In qualche parte del mondo
Dischi Ricordi

1962
Come le altre/La mia geisha
Dischi Ricordi

1962

In qualche parte del mondo
Dischi Ricordi

1962

Quello che conta/Tra tanta gente/
La ballata dell'eroe
Dischi Ricordi

1962

Angela/Mi sono innamorato di te
Dischi Ricordi

1962

Quando/Il mio regno
Dischi Ricordi

1963

Io sì/Una brava ragazza
Dischi Ricordi

1964

Ragazzo mio/No, non è vero
Jolly

1964

Ho capito che ti amo/Io lo so già
Jolly

1965

Non sono io/Tu non hai capito niente
Jolly

1966

Un giorno dopo l'altro/
Se sapessi come fai
RCA

1966
Lontano lontano/Ognuno è libero
RCA

1967
Ciao amore, ciao/E se ci diranno
RCA

1967
Quando/Mi sono innamorato di te
Dischi Ricordi

1967
Ti ricorderai/Angela
Dischi Ricordi

1967
Guarda se io/Vedrai vedrai
RCA

1967
Io vorrei essere là/Io sono uno
RCA

1967
Se stasera sono qui/Cara maestra
Dischi Ricordi

1968
Pensaci un po'/Il tempo dei limoni
Dischi Ricordi

1970
Vedrai vedrai/Ah... l'amore l'amore
Jolly

ALBUM

1961
Tutte le canzoni di Sanremo
Dischi Ricordi
(Tenco interpreta come Dick Ventuno
Qualcuno mi ama e *Notturno senza luna*)

1962
Luigi Tenco
Dischi Ricordi

1965
Luigi Tenco
Jolly

1966
Tenco
RCA

1967
Ti ricorderai di me
Dischi Ricordi

1967
Se stasera sono qui
Dischi Ricordi

1969
Pensaci un po'
Dischi Ricordi

1972
Luigi Tenco
RCA

1972
Luigi Tenco canta Tenco, De André,
Jannacci, Bob Dylan
Joker

1977
Agli amici cantautori
SAAR

1982
Profili musicali: Luigi Tenco
Dischi Ricordi

1984
Luigi Tenco
Dischi Ricordi
(cofanetto con tutte
le incisioni Ricordi)

PER SAPERNE DI PIÙ

LIBRI

Effetto Tenco di M. Santoro (Il Mulino, 2010)

Luigi Tenco, canterò finché avrò qualcosa da dire di R. Parodi (Sperling & Kupfer, 2007)

Luigi Tenco, ed ora che avrei mille cose da fare di R. Tortarolo e G. Carozzi (Arcana, 2007)

Il mio posto nel mondo: Luigi Tenco, cantautore, ricordi, appunti, frammenti a cura di E. De Angelis, E. Deregibus e S. Secondiano Sacchi (Rizzoli, 2007)

Tenco a tempo di tango (con CD Audio) di C. Lucarelli (Fandango, 2007)

Non sono io il principe Azzurro, antologia tributo a Luigi Tenco a cura di A. Ghiraldo (Il Foglio, 2006)

Quasi sera, una storia di Tenco (con CD Audio) di A. Montellanico (Nuovi Equilibri, 2006)

A Luigi Tenco, trentacinque anni da quel Sanremo a cura di M. Dentone e N. Gonzales (Bastogi, 2003)

Io sono uno, canzoni e racconti (con videocassetta) di L. Tenco (Baldini Castaldi Dalai, 2002)

Luigi Tenco, vita breve e morte di un genio musicale di A. Fegatelli Colonna (Mondadori, 2002)

Luigi Tenco di R. Parodi (Tormenta, 1997)

Luigi Tenco di A. Fegatelli Colonna (Muzzio, 1987)

Morte di un cantautore di M. Luzzatto Fegiz (Gammalibri, 1976)

TEATRO

Tenco a tempo di tango di C. Lucarelli
per la regia di G. Dall'Aglio (2007)

CINEMA E TV

La cuccagna di L. Salce con interpretazione di Luigi Tenco (1962)
Vedrai che cambierà telefilm-documentario di P. Poeti
su Luigi Tenco a dieci anni dalla morte (1976)
Il caso Tenco (nella puntata del 6 marzo 2007 di *Chi l'ha visto*)

Menu BeccoGiallo
chiedi al tuo libraio di fiducia

Cronaca Nera

1. *Unabomber* di I. Mavric e P. Cossi
2. *I delitti di Alleghe* di A. Maraviglia e G. Maconi
3. *La Saponificatrice* di E. De Pieri
5. *Rina Fort* di M. Rizzotto e A. Vivaldo
6. *Villarbasse, la cascina maledetta* di L. Sartori e S. Marcoccia
7. *Il mostro di Firenze* di L. Trevisanello e E. De Pieri
8. *La Banda della Magliana* di S. Tordi, L. Valenti e S. Landini
9. *Il massacro del Circeo* di L. Valenti e F. Ambu

Cronaca Storica

1. *Il terremoto del Friuli* di P. Cossi
2. *Chernobyl, di cosa sono fatte le nuvole* di P. Parisi
3. *La strage di Bologna* di A. Boschetti e A. Ciammitti
4. *Il sequestro Moro, storie dagli anni di piombo* di P. Parisi
5. *Marcinelle, storie di minatori* di I. Mavric e D. Pascutti
6. *Ustica, scenari di guerra* di L. Sartori e A. Vivaldo
7. *Porto Marghera, la legge non è uguale per tutti* di C. Calia
8. *Ilaria Alpi, il prezzo della verità* di M. Rizzo e F. Ripoli
9. *La Grande Guerra, storia di Nessuno* di A. Di Virgilio e D. Pascutti
10. *Dossier Genova G8* di G. Bardi e G. Gamberini
11. *Il delitto Pasolini* di G. Maconi
12. *Dimenticare Tiananmen* di D. Reviati
13. *Stalag XB* di M. Ficarra
14. *ThyssenKrupp, Morti Speciali S.p.A.* di A. Di Virgilio e M. De Carli
15. *Piazza Fontana* di F. Barilli e M. Fenoglio
16. *Moby Prince, la notte dei fuochi* di A. Vivaldo (a cura di F. Colarieti)
17. *Carlo Giuliani, il ribelle di Genova* di F. Barilli e M. De Carli
18. *Giovanni Falcone* di G. Bendotti
19. *Viareggio, una strage annunciata* di G. Maffei

CRONACA ESTERA

1. *Garduno, in tempo di pace. Itinerario di resistenza alla globalizzazione* di P. Squarzoni
2. *Fermate l'America: 99 buoni motivi per diffidare dell'America di Bush* di J. Sorensen
3. *ABC Africa, guida pratica per un genocidio* di J. P. Stassen
4. *Stan Trek* di T. Rall
5. *Il gioco delle rondini* di Z. Abirached
6. *Mi ricordo Beirut* di Z. Abirached

QUARTIERI

1. *Brancaccio, storie di mafia quotidiana* di G. Di Gregorio e C. Stassi
2. *Resistenze, cronache di ribellione quotidiana* di AA.VV. (a cura di C. Calia e E. Rabuiti)
3. *Sonno elefante, i muri hanno orecchie* di G. Fratini
4. *ZeroTolleranza* di AA.VV. (a cura di C. Calia e E. Rabuiti)
5. *Quasi quasi mi sbattezzo* di A. Lise e A. Talami
6. *Etenesh, odissea di una migrante* di P. Castaldi

BIOGRAFIE

1. *Martin Luther King* di Ho Che Anderson
2. *Luigi Tenco* di L. Vanzella e L. Genovese
3. *È primavera, intervista a Antonio Negri* di C. Calia
4. *Ballata per Fabrizio De André* di S. Algozzino
5. *Peppino Impastato, un giullare contro la mafia* di M. Rizzo e L. Bonaccorso
6. *Sereno su gran parte del Paese, una favola per Rino Gaetano* di A. Scoppetta
7. *Fausto Coppi, l'uomo e il campione* di D. Pascutti
8. *Gigi Meroni, il ribelle granata* di M. Peroni e R. Cecchetti
9. *Mauro Rostagno, prove tecniche per un mondo migliore* di N. Blunda, M. Rizzo e G. Lo Bocchiaro
10. *Bob Marley, coming in from the cold* di S. Montella
11. *Anna Politkovskaja* di F. Matteuzzi e E. Benfatto
12. *Julian Assange & Wikileaks* di D. Morgante e G. Costantini
13. *Que viva el Che Guevara* di M. Rizzo e L. Bonaccorso
14. *Adriano Olivetti, un secolo troppo presto* di M. Peroni e R. Cecchetti

GLI AUTORI

LUCA VANZELLA
Nato a Conegliano (TV) nel 1978, ha fondato con Luca Genovese l'etichetta di fumetto indipendente *Self Comics* (2003-2008) e ha collaborato con molte realtà dell'autoproduzione italiana. Ha pubblicato un saggio sul cosplay (*Cosplay Culture*, Tunué, 2005) e un fumetto con robot giganti (*Beta*, Bao Publishing, 2011).
Vive e lavora a Bologna.

LUCA GENOVESE
Nato a Montebelluna (TV) nel 1977, ha pubblicato per il Centro Fumetto Andrea Pazienza, Indypress, Onipress, Eura, Alta Fedeltà/BD, BeccoGiallo, Rizzoli/Lizard, Editoriale Aurea, Internazionale, Battello a Vapore, Black Velvet, Bao Publishing e per numerose iniziative indipendenti. Dal 2003 al 2008 ha curato con Luca Vanzella l'etichetta copyleft *Self Comics*.
Vive e lavora a Bologna.

Grazie a Cristiano Malvenuti e a tutti gli appassionati di Tenco che con le loro attività conservano i preziosi frammenti di passato che tengono viva la memoria di Luigi. Un grazie speciale di Luca Vanzella a Roi per la pazienza e per i consigli.

Canterò
fino a quando
avrò qualcosa da dire.

Luigi Tenco